Mi mamá

Escrito por Francie Alexander y Jesús Cervantes
Ilustrado por Carlos E. Bernales

Mi mamá me ama.

Mi mamá me ama a mí.

Mumú me ama.

Mumú me ama a mí.

Mamá ama a Mumú.

Mamá mima a Mumú.

Amo a mi mamá.
Amo a mi mamá.

Mis palabras

Mm

ma	me	mi	mo	mu
ama	me	mi	amo	Mumú
mamá		mí		
mima		mima		

For information regarding permission, write to Scholastic Inc., Instructional Publishing Group, 555 Broadway, New York, N.Y. 10012.
ISBN 0-590-63137-3   Copyright © 1998 by Scholastic Inc.   All rights reserved.   Printed in the U.S.A.
4 5 6 7 8 9 10   33   03 02 01 00